하늘에서 한비가 내려와

하늘에서 한비가 내려와

2020년 12월 24일 초판 발행 **발행인** 김혜정 **사진·글** 정해석 **편집** 올리브컴 **삽화** 장근명 **인쇄** 넥스트 출판
펴낸곳 디도출판사 17155 경기도 용인시 처인구 한터로 662번길 85-10 전화 010-4780-9508
홈페이지 www.STUDIDODIDO.COM **이메일** 2002hs1@naver.com
등록번호 제2-2456

ISBN 976-11-966841-2-9

하늘에서 선비가 내려와

디도

사진집을 시작하며

2014년 첫 직장에서 4년만에 이직했다. 새로운 환경에 적응을 못하고 명치통증으로 고생하며 출근하던 어느 날, 새벽예배 때 들었던 성경구절이 떠올랐다.
"또 너희가 어찌 의복을 위하여 염려하느냐 들의 백합화가 어떻게 자라는가 생각하여 보라 수고도 아니하고 길쌈도 아니하느니라." - 마태복음 6장 28절-

성스러운 명분과 멋스러운 핑계를 가슴에 품고 당장에 직장을 그만두었다. 본격 "전업사진작가"의 길에 들어 서기로 한 것이다. 한껏 들떠 시작한 예술가의 길이었지만, 현실은 백수와 한량의 어딘가였다.
막막했다. 늦은 나이에 어렵게 선택한 길이기에 열정페이를 받으며 공산품 같은 사진을 찍고 싶지는 않았다. 의미있는 것, 나만 찍을 수 있는 것을 찍고 싶었다. 그런데 없었다. 자전거를 타고, 오토바이를 타고, 자동차를 타고 정처없이 다니며 하늘, 바다, 풀, 꽃을 찍었다. 조금 더 찍었더라면, 자연사진작가가 되었거나, 다시 직장인이 되었으리라.

한비를 처음 만난 건 2012년이다. 한비는 2012년 3월에 태어나 19일만에 주심교회 목사님 가정에 입양되었고 난 그해 10월 주심교회에 다니기 시작했다.
직장생활을 그만두면서 한비와 부쩍 더 가까워졌다. 허울 좋은 예술가의 하루는 딱히 할 일이 없어서 대부분 교회에서 시간을 보냈다. 나중에는 아예 집에서 나와 교회 옥탑방에서 살았다. 어른들은 모두 일하러 가는 바람에 주로 아이들과 지냈다. 어느새 한비는 한량 삼촌의 베스트 프렌드가 되어 주었고 덕분에 하루 한 번이라도 입을 열 수 있었다. 돌봐준다는 명분으로 혼밥도 피했다.

사회와 동떨어져 바닥까지 내려간 나의 자존감을 잠시라도 충전시켜준 건 한비였다. 교회에 급한 일이 생겨서 한비를 어린이 집에서 데려올 때면 나도 그냥 잉여로운 존재만은 아닌 것 같았다. 이것이 입양 자녀에 대한 동정일지 모르겠다. 아니면 나 역시 20대 초반 어머니를 여의고 살았기에 그랬는지도 모르겠다.

한비와 보내는 시간이 점점 많아졌고 내 손에는 사진기가 있었다. 자연스레 내 사진의 대부분은 한비였다. 울고 웃는 한비는 꽃과 나무보다 더 역동적이며 살아 숨쉬는 피사체였다.

여느 때처럼 사진을 보시던 한비 어머니께서 한비의 성장과정을 가능한 한 많이 모으자고 하셨다. 그것들을 잘 모아서 한비가 20살이 되어 생모를 만날 때 보여주자 하셨다. 사진집도 내고 전시회도 하자고 하셨다. 기쁘기도 했지만 걱정이 앞섰다. 우리나라의 입양에 대한 선입견을 잘 알기 때문이었다. 그러나 이 프로젝트를 기대하고 기뻐하는 괴팍한 모녀의 열렬한 진심을 보았다. 그들의 삶을 누구보다 가까이에서 보아 왔기에 믿음을 갖게 되었고 결국 여기까지 올 수 있었다. (이 부분에 대한 것은 한비 어머니께서 직접 쓴 부록을 본다면 더 이해될 것 같다)

하나의 피사체를 오래 그리고 자세히 찍다보니 그 속에서 진한 아름다움이 배어나왔다. 삶의 구조적 모순을 느끼며 무기력에 빠져있던 나에게 인생은 원래 아름다운 거라고 몸으로 표현하는 듯 했다. 사람들을 좋아하고, 모르는 것을 궁금해하고, 슬픔을 삭히지 않고, 내일을 걱정하지 않으며, 순간순간 행복해 하는 것. 이 어려운 걸 해내는데 전혀 노력이 필요하지 않다고 스피드퀴즈를 하듯, 소리 없는 힌트를 주는 것 같았다.

무기력하고 절망한 어른은 볼 수 없었던 삶의 아름다움을 볼 수 있던 시간이었다. 상대를 위해 시작한 일이 언제나 그러하듯 나에게 유익한 시간이었다.

DIDO

인생은

아름다워

Look at
the
Big
Corn
FLAKE
Tost's

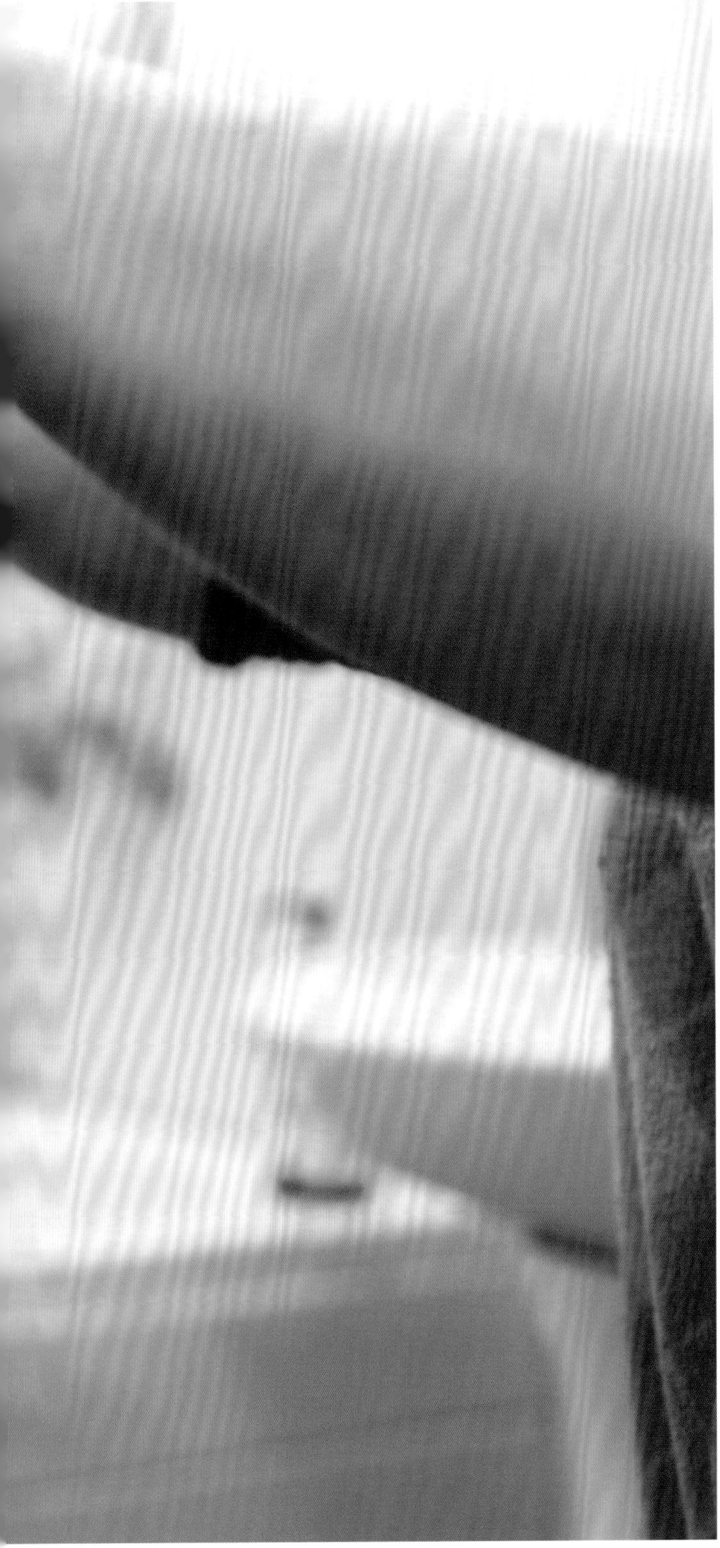

같이 가ー

대대리에서 한비의 하루는 바쁘다.
마트도 하나 없는 이곳이 뭐가 그리 신나는지
동네 이곳 저곳을 시끄럽게 떠들며 돌아다닌다.
좀 조용하다 싶어 불안해 찾아보면,
새로운 놀이에 푹 빠져 집중하고 있다.

하지만 오늘도 일상이 시시한 것 뿐인 나는
괜히 한비에게 다가가 조용히 좀 놀라고,
그 시시한 것들이 뭐가 그리 재미있냐며
핀잔과 질투를 늘어놓는다.

부러운 마음에 한비를 찍는다.

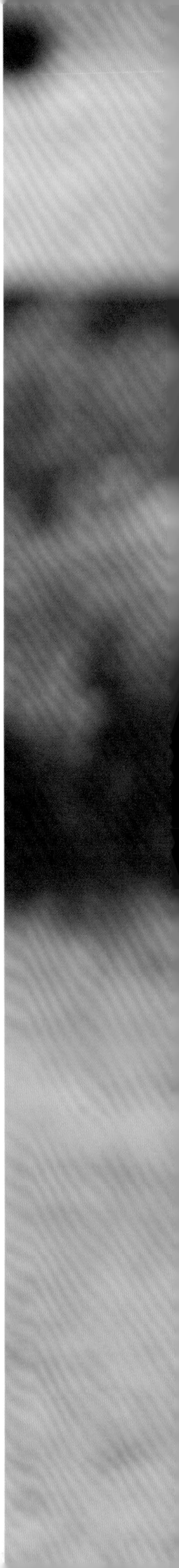

아빠가(목사님) 위대해지는 강대상에서 한비는 뭘하는 걸까?

공부가 좋다는 한비.

아빠를 졸라 한글을 떼고,
이제는 한이 오빠를 좇아
영어를 배우기 시작한다.

언제나 의욕이 넘치는 아이다.

COOLDOG

나도 보고 싶어.....

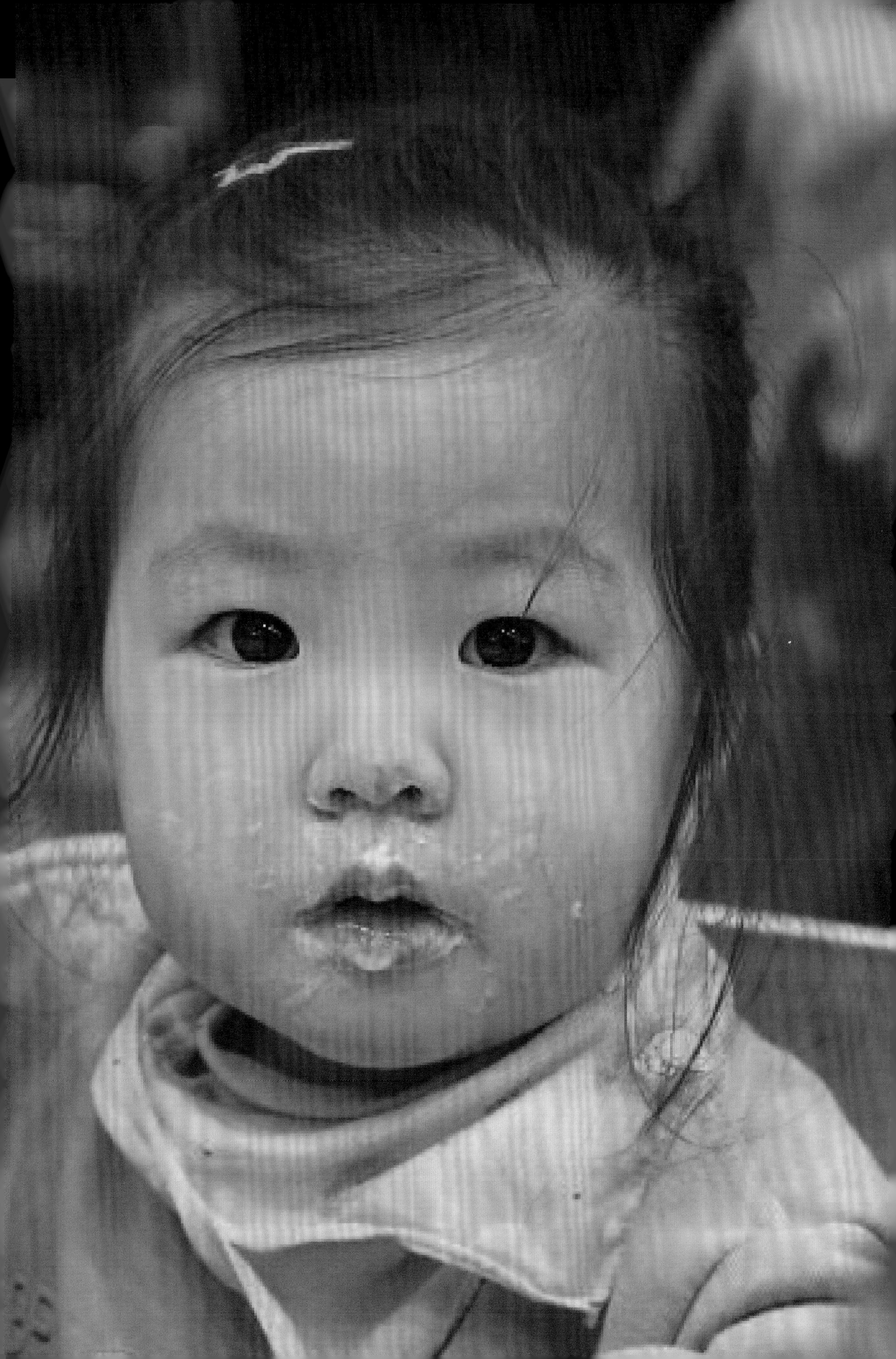

큰사발

일품
해물

밥 잘먹고,

똥 잘 싸기

그걸로 충분한 너와 나

아빠엄마에게♡

아빠엄마 밥 먹으라는 것도 다 제 건강을 위해서죠?♡
고마워요. 아빠엄마, 아빠엄마 사랑해요.♡^^
그리고, 제 생일때 꼭! 제주도가요.^^
기도할게요.♡ 진심으로 사랑해요.♡
잘 나하주셔서 정~말 감사해요.♡ 아! 그리고,
답장부탁해요!♡^^ 그리고 데이트 빨리 해요.

아빠는 말하면 뭐든지 들어주세요!
시간은 조금 걸리지만요.

오늘만 사는 한비

어제는 그리웠고 내일은 두려웠다.
오늘을 잃어버린 나에게 나타난 몽학선생.

HORY

외조카와 한비의 첫만남,
서로 어색하거나 불편하지는 않을까 하는
나의 걱정은 기우였다.
처음봐도 친구가 되는 아이들이 부럽다.

한비는 가끔 하늘을 물끄러미 바라본다.

미치도록 좋은 한비, 환호와 탄성
지리한 방에서 나와보니
온통 흥분의 도가니. 서둘러 찍고 보니
속도감에 얼굴이 흐리다.
한비이기도 하고 모든 아이 이기도 하고...
더 좋다.

0860

속도 조절하는 코너링과
그 때 나타난 표정
신중함

삼촌 대신
쓰레기 버려주고는

머쓱

갑자기
반지 자랑

그리고는
행복

한비와 왈패 어린이들의 오후

연기가 피어오르는 해질녘 오후.
"산책 가자!" 우르르 아이들이 뛰어나간다.
물통도 챙겨야 하고, 에바와 호두도 따돌려야하고...
한비는 바쁘다.
간식으로 준비한 뻥튀기와 물, 과도하다고 한이오빠에게 한 판 야단을 맞았지만 다들 한입 먹고 입을 축인다. 질질 흘린 뻥튀기.
새가 먹을까? 고양이가 먹을까?
온 동네를 헤집고 다니는 왈패 어린이들, 고함소리 웃음소리 싸우는 소리 때론 울음소리에 온 동네가 살아난다.

개구장이

간달프

한비언니

야, 정한비!

오늘도 잘 놀았다

Cute style

반가움은 흥분으로

흥분은 폭력으로.....

나 여기 있고
너 거기 있지

잠자리 준비로 말갛게 씻겨놓으면
개운한 몸과 마음으로 새롭게 시작되는 생명력
오늘도 하루를 마무리하는 엄마의 노래 "그만 자자"

Sports
7

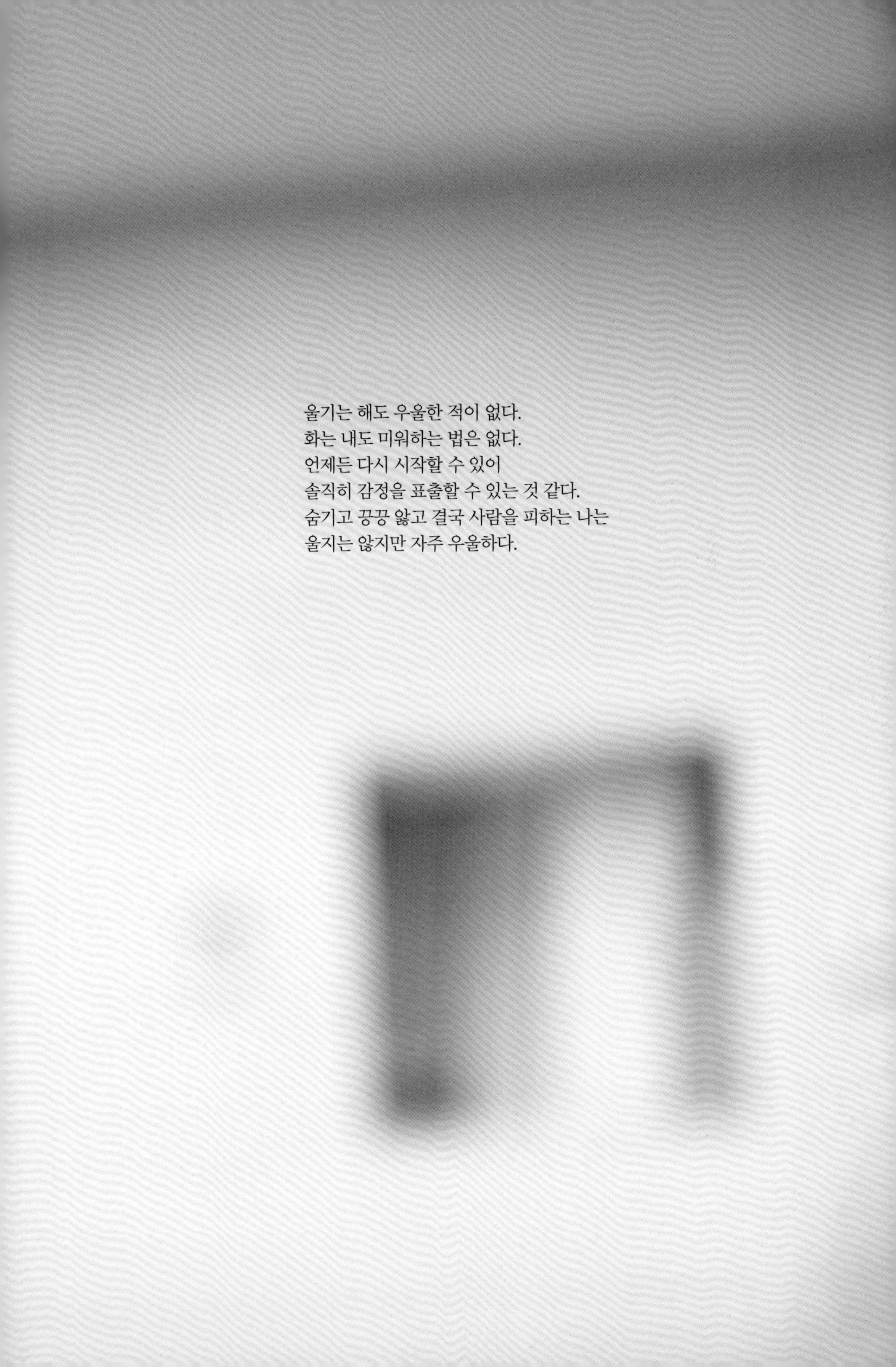

울기는 해도 우울한 적이 없다.
화는 내도 미워하는 법은 없다.
언제든 다시 시작할 수 있어
솔직히 감정을 표출할 수 있는 것 같다.
숨기고 끙끙 앓고 결국 사람을 피하는 나는
울지는 않지만 자주 우울하다.

이 손 주인은 누굴까?
조금도 굴하지 않는 한비,
한비답다.

행복한 봄나들이 중에도
한번은 삐지는 아이들.

SINCE 2016. 03. 01

THE MODEL

드디어 삼촌이 상업사진가
데뷔하던 날. 삼촌을 위해
모델로 한비가 지원 사격을
나왔다.

가뜩이나 긴장되는데 날이
너무 추워 걱정되었다.

신인작가의 어색한 기류로
현장은 더 얼어붙었다.
잠시 후 화장과 헤어를 마
친 세상에서 가장 행복한
한비가 등장했다.
그리고는 현장을 후끈 달궜
다. 지금도 그때 기억 때문
인지 한비는 모델이 되고 싶
다고 한다.
그 날 한비가 없었다면 어땠
을까? 생각하면 아찔하다.

돌봐준다고 생각했는데 언제
나 한비에게 도움을 받는다.
고맙고 멋쩍다.

Hello Kitty

히 히 히 히 히 히 히 히 히 히 히 히 히　　히 히 히 히 히 히 히 히 히 히 히 히 히

히 히

솔직히 말해봐
너 프로지

OPEN
AURA

슈가

URAKIDS SINCE 2011

타임머신을 탄 소녀

하루가 다르게
자라는 한비를 보면
흐뭇하기도 하고
뭉클하기도 하다.

요즘 사진 작업이 많아져 한비를 자주 못 본다.
오랜만에 만난 한비는 키가 많이 컸고 카메라를 보고
함박 웃음을 짓지 않는다.
한비는 커가고 나는 바빠지고 조금씩 더 어색해진다.
한비가 나를 계속 친구로 대해주길...

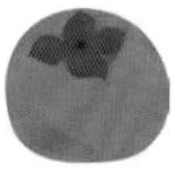

멀뚱한비

유민이와 버스 타고 다니는 대견한 한비
몰래 찍으려고 미리 탄 버스,
들켰다.
한비는 놀라고 나는 당황하고...
깜짝 놀라 빵 터진 한비 얼굴 반쪽이 남았다.

부록

"Let them be, 자녀들을 내버려둬라"의 저자 김혜정 엄마가 설명해주는...
한비 / 사진집, 전시회

* 우리 딸 한비는?

한비는 하늘에서 내려온 특별한 선물이다. 잉태의 과정 없이 얻어진 한비는 특별 보너스처럼 수고로움 없이 기쁨만 가져온 나의 천사다. 또한 한비는 입양이라는 선택과 만남이 없었다면 절대 만날 수 없는 존재이기도 했기에 내 품에서 웃고 우는 한비를 볼 때마다 새롭고 남다른 감격이 올라온다. 한비를 만난 날은 비 내리는 성금요일로 잊을 수 없는 날이다.

한비는 미간에 힘을 꽉 주고 만난 생후 19일에서 오늘까지 나와 함께 살아가는 내 딸이다. 우리 집 다섯 자녀 중 넷째인 한비는 오색찬란한 다섯 아이들의 생명의 빛 속에서도 단연 돋보이는 아이다. 한비는 10개월의 임신 기간에 듣던 생모의 음성과 체취를 출생과 함께 잃어야 했던 아이다. 나의 품에 도착하기까지의 19일은 위탁 가정에서 길러졌다.

우리 남편과 나 한솔이 언니가 한비를 만나러 간 날, 우리는 포대기에 쌓인 한비를 만나며 탄성을 질렀다. 긴장 된 듯 섬세하고 예민한 한비의 눈빛을 보며 '내가 너의 엄마야. 여기가 너의 집이야. 영원히 너와 함께 할거야...' 라고 수 없이 말해주었다. 손에서 내려놓을 수가 없었다. 하루 이틀이 지나 아이의 눈빛이 우리에게 적응하고 우리를 받아들여 주는 것을 느꼈다. 행복했다. 한비가 느끼는 편안함이 곧 나의 편안함이 되었다. 미간의 힘이 조금 풀렸다.

한비는 단아한 인상에 얌전하고 섬세한 아이였다. 분리 불안이 살짝 있어 보였던 한비는 신생아 1년여의 기간 동안 엄마, 아빠 외에는 자주 보는 몇 사람에게만 곁을 주었다. 안을 수 없어도 깊은 눈매로 바라보는 한비의 설명할 수 없는 매력에 다들 반했다. 한비는 우리 집과 교회의 스타였고 담뿍 사랑을 받았다.
이러던 요조숙녀 한비가 1년이 지나가며 성격이 갑자기 바뀌었다. 뛰어난 인간관계 능력을 드러내며 사회생활의 범위를 대폭 넓혀갔다. 한비에게 폭 빠진 이모 삼촌들을 좋아하고 안기고 따라가고... 3살에는 하물며 외박도 했다. 낯을 가리던 한비의 이러한 변화는 한비를 사랑하는 사람들을 기쁘게 했다.

6살 경 이사 온 시골은 한비를 더욱 건강하게 했다. 산천을 뛰어다니고 꽃을 심고 씽씽카를 타고 친구 정훈이 집을 제 집처럼 드나드는 씩씩한 한비. 걷기보다 바닥을 박차고 뛰어서 허벅지 근육이 올라오기 시작 했다. 예쁘고 날쌘 노루처럼 뛰어다녔다.

한비는 감성이 풍부하고 사랑이 많다. 한비는 동생, 친구와 놀다가 싸우고 토라졌다가도 금세 마음이 풀린다. 잘 웃다 금새 울고, 다시 행복해져서 뛰어논다. 나는 어쩌다 울며 다가오는 한비를 볼 때면, 눈물이 그렁그렁 맺힌 큰 눈물이 너무 예뻐서 빤히 쳐다보게 된다. 누구보다 관계의 다시 시작하기를 너무나 잘하는 아이이다.

현재 시골에서 사는 한비는 주일을 간절히 기다린다. 예배를 좋아하고 또래 친구 하연이를 좋아한다. 이렇게 무리가 지어지는 주일이면, 간혹 생기는 큰 용돈 1, 2만원으로 또래를 다 이끌고 대장정에 나선다. 걸어 30분 걸리는 마트의 최고봉에 도착하면 컵라면, 과자, 아이스크림, 음료수가 지급된다. 한비는 가족과 교회 가족들에게 늘 무언가를 주고 싶어 한다. 사랑이 많은 아이이다.

고만고만한 또래들과 신나게 동네를 쏘다니다 보면 어른들에게 한 소리라도 들을 때가 생긴다. 그럴 때 민망해 하지 않고 참하지만 똑 부러지게 자기네들의 상황을 설명해 내는 강한 아이다. 외부에서 "고놈 보통내기가 아니다." 라는 소문을 듣기도 한다. 주눅 들지도 않고 맹랑하지도 않는 선을 지키는 놀라운 아이, 우리 딸 한비다.

한비는 하고 싶은 것도 참 많다. 모델도 되고 싶고, 사육사도 되고 싶고, 가수도 되고 싶다. 한비는 열심히 뛰고 열심히 책을 본다. 열정이 뛰어난 한비는 학교에서 천사로 불리는 배려심 깊은 아이고 영특하여 학습능력이 뛰어나다. 친구 유민이와는 버스 타고 수영장을 다닐 정도로 용감하다. 한비는 예쁜 옷을 좋아하고 네일을 좋아하고 동물을 좋아한다. 한비는 무엇보다 사람을 좋아한다. 하나님을 좋아한다.

한비는 나에게 수많은 사랑의 편지와 선물을 보내고, 수시로 뽀뽀하고 안아 주고, 맛있는 것이 보이면 나를 먹이려고 다가오고, 저녁에 누워 자려는 나에게 마지막 물을 떠다 주고, 거친 내 발바닥에 이불을 젖히고 로션을 발라주고, "아, 좋아~."를 연발하는 엄마의 발 맛사지를 시작해서 등과 팔다리를 주물러 주고, 이곳저곳 주무르다 엄마 찌찌도 깔깔거리며 꼼지락 거리는 내 딸이다.

한비는 아빠를 너무나 좋아하는 딸이다. 배로 태어난 4 자녀가 공통적으로, 너무 에너지 넘치는 엄마 때문에 아빠는 아빠로서의 자리를 잃고 삼촌처럼 살아오신 우리 집 흑역사가 있다. 한비는 그런 아빠에게 진정한 아빠의 자리를 선물했다. 가슴에서 태어나 분유를 먹여야 했던 한비는 "엄마60: 아빠40" 정도의 비중도를 나누어주었다. 그 전 아이들의 비중인 "엄마98: 아빠2"에 비교해 놀라운 일이었다. 아빠에게는 큰 감격이었고 내가 안아 키운 자식이라며 몹시 뿌듯해 한다. 그래서 다른 아이들에 비해 아빠와의 사진이 많다.

큰오빠 한샘이는 한비와 11살 터울, 그냥 삼촌이다. 종종 말 걸고 밥만 해준다.
언니 한솔이는 8살 터울, 깔끔하게 예뻐하고 안아 주다가도 "그만 나가." 라며 방에서 한비와 한결이를 내몬다. 그런가하면 어떤 날은, 왁자지껄한 세 동생 사이에 끼어 함께 놀곤 하는 한솔 언니가 나중에 한비와 함께 옷을 사러가고 화장을 하고 영화를 보겠지 상상하면 즐겁다.

둘째 오빠 한이는 5살 터울, 이 위대한 오빠의 손에서 한비는 키워지고 있다. 오빠는 한비 한결이를 돌보고 동시에 거느려 자신의 왕국을 키워낸다. 엄마 바쁜 날 볶음밥도 만들어주고 라면도 끓여 준다. 숨겨놓은 과자로 당도 올려주고 방방도 뛰어주고 산책도 간다. 핸드폰 게임과 닌텐도로 한비에게 새로운 세계의 안내자가 되어주기도 한다. 더불어, 한비 한결이의 용돈을 갈취하기도 하는데 일명 "오빠관리"라 칭하는 보호 관찰이다. 한비는 아빠, 한샘이 오빠, 한이 오빠 같은 사람하고 결혼하고 싶단다. 나에게 아빠랑 어떻게 결혼했냐며 성공 노하우를 묻기도 하고 좋아하는 남학생 이야기를 하며 자문을 구하기도 한다.

한결이는 2살 터울 여동생이다. 예상 못한 임신에 한비를 생각해 걱정했으나 시간이 지나고 보니 한비에게 너무나 잘 된 일이었다. 늘 단짝이 있는 든든한 어린 시절의 시작이었다. 언니랑 매니큐어 칠하고 언니랑 손잡고 남의 집 가고 언니랑 영상보고 언니랑... 언니랑... 한결이는 한비가 키웠다. 어린시절 한결이의 비중도는 "엄마 20: 아빠 10: 한비언니 60: 기타 3명의 언니 오빠들 10" 정도였다. 한비가 더욱 행복해졌다.

에바는 우리 집 명견 골든리트리버다. 한비 3살에 아빠의 친구로 우리랑 살게 된 한비의 가족이자 동물 친구다. 너무 순하고 너무 착하고 심하게 순한 에바는 한비를 지켜주고 한비를 넘어뜨렸다. 한비와 한결이가 산책 시키고 놀아주는 것이 고마운지 에바는 마당에서 뛰어 놀 때면 한비 곁에 앉는다.

호두는 우리 집 개냥이다. 명품고양이로 집과 마을을 드나들며 동물 친구들 먹을 것을 조달해 주는 부잣집 도령 고양이다. 일명 슈퍼집 아들? 사람 품을 좋아해서 한비를 행복하게 하지만, 본능상 흥분하면 갑작스레 긁어서 한비를 종종 울린 바 있는 범죄자다. 현행범일 때는 나에게 처벌 받는다.

위의 "6사람+ 2동물"은 한비의 "가족"이자 "베프" 명단이다.
한비와 살아온 9년 세월은 최고였고 앞으로 살아갈 날들이 너무나 기대된다.
이런 한비가 없는 우리 집은 상상할 수 없고 우리가 없는 한비도 상상할 수 없다.

* 참고로, 한비의 가족과 삶은 김혜정 엄마의 저서 "Let them be, 자녀들을 내버려 둬라." 에 자세히 기록되어 있고, 유투브 채널 "렛뎀비"로 상영된다.

* 이번 첫 번째 사진집과 전시회는?

우리 가정은 동방사회복지회를 통해 한비를 입양했다. 관계자 모든 분들에게 너무나 감사하다. 복지회의 여러 모임들을 통해 입양 가정들이 품고 있는 커다란 사랑을 보았다. 가슴으로 태어난 자녀를 깊이 사랑하는 부모님들을 뵈었다.

동시에, 공개입양 가정들의 2가지 고민을 보았다. 첫째, 입양 사실을 어떻게 알려야 하나? 아이가 상처받지는 않을까? 둘째, 자녀가 성장해가면서 혹은 다 자라서 낳아주신 분을 진짜 부모라고 여기면 어떻게 하나?

첫 번째 문제는 이렇게 해결해 가고 있다.

우리는 "한비는 엄마의 뜨거운 사랑의 가슴에서 태어났다." 고 설명하며 공개 입양의 사실을 늘 알려왔다. 한비 6살 때, 임신한 여성의 불러오는 배를 보며 언니, 오빠, 동생은 배로 자신은 가슴으로 태어났다는 것의 차이를 알고 싶어 했다.

이제 말할 때가 되었다 싶어 가슴으로 태어나는 상황이 무엇인지 말해 주었다. 한비를 몸으로 낳아주신 엄마와 아빠, 한비를 가슴으로 낳아 키우고 있는 엄마와 아빠의 구조를 설명해 주었다. 한비에게 "엄마는 한비를 이렇게 건강하게 낳아서 엄마 뜨거운 사랑의 가슴에 보내준 한비엄마가 너무 고맙다. 나중에 한비가 20살이 되어서 낳아준 엄마를 만날 수 있을 때 꼭 만나서 고맙다고 말씀드리고 싶다." 고 했다. 처음 듣는 또 다른 엄마 이야기, 복잡하고 혼란스러워했다. 그 날, 낳아주신 엄마는 싫고 김혜정 엄마가 좋다고 했다. 당연한 일일 것이다.

3주 쯤 지나가며 한비대로의 정보를 통해 입양을 해석하고 정리해 가는 것을 보았다. 한 달이 되어 가면서 간헐적으로 주변 사람들에게 자신의 입양 구조를 설명했다. "너무 좋은 엄마가 한비를 낳아 주었고, 김혜정 엄마가 뜨거운 사랑의 가슴으로 한비를 낳고 싶어 해서 하나님이 보내 주셨대요. 내가 엄마 가슴에서 태어났어요." 라며 환한 얼굴로 설명했다.

당시는 6살의 한비로 자신의 입양을 받아들였지만 성장하면서 다른 나이, 다른 상황에서 한비가 고민하고 힘들어 할 때가 생길 것이다. 그 때마다 지금은 엄청 싸워대는 언니, 오빠, 동생이 큰 위로가 되고 함께 있어 줄 것이고, 정신영 아빠와 김혜정 엄마가 언제나 함께 있을 것이다.

두 번째 문제는 한비의 생부모를 우리의 현재 삶에 초대함으로 해결해 가고 있다.

먼저는 내 딸 한비를 위해서이다.
내 자신을 입양아라고 상상해 보아도 나를 낳아주신 분들을 향한 호기심과 그리움, 더불어 원망의 감정들을 느끼게 될 것 같다. 한비는 나이와 더불어 인지가 자라가며 입양이라는 상황을 통해 돌출된 자신의 존재성을 해석하기 위해 고민할 것이다. 한비가 앓게 될 복잡 다양한 감정들은 고통을 통해 내성이 자라고 회복될 것이다.
그 고통 중에 한비가 생부모와 양부모 사이에서 갈등 아닌 갈등을 느끼게 하고 싶지 않다. 혹여나 양부모인 우리가 '넌 우리의 자녀이고 낳아주신 분은 잊어야 한다,' 는 요구를 직간접적으로 한다면 한비는 죄책감과 혼란을 경험 할 것이다.
그래서 한비에게 공개입양이라는 사실과 함께 생모를 그리워할 수 있는 자유를 주고 싶다. 한비가 자신을 낳아주신 엄마를 향한 호기심과 애정을 건강하게 충분히 느끼게 하고 싶다. 한비를 우리만의 딸로 가두고 싶지 않다. 자유를 주고 싶다.

다음으로는 너무나 감사한 한비를 낳아주신 엄마를 위해서이다. 더불어 사랑하는 아기를 낳아 입양 보내야 했던 엄마들을 위해서이다.

한비는 뜨거운 사랑의 가슴에서 태어난 공개입양 내 딸이다. 한비가 태어나 나에게 준 행복은 말로 다 설명할 수 없다. 항상 내가 한비에게 주는 사랑보다 한비가 나에게 준 사랑이 늘 더 크다. 나는 많은 것들을 보며 한비를 보지만, 한비 눈 속에는 나만 보인다. 한비가 가장 좋아하는 것은 엄마와 둘만의 데이트다.

한비를 사랑하고 한비가 태어난 것이 고마울수록 한비를 입양 보내야 했던 생모에 대한 고마움도 같이 자라간다. TV 매체를 통해 입양 간 아이들이 잘 지내지 못한다는 내용을 접할 때, 한비엄마를 포함해 핏덩이를 입양 보내고 가슴에 묻은 수많은 엄마들을 향한 애잔함이 밀려온다. '얼마나 걱정이 될까? 얼마나 보고 싶을까? 얼마나 미안할까?'

한비를 낳아주신 엄마가 미지의 얼굴로 베일에 감춰진 비밀이 되게 하고 싶지 않다. 한비를 낳아주신 엄마가 현재 우리와 함께 살아가게 하고 싶다. 한비와 나는 한비를 낳아주신 엄마 이야기를 자주 거론하고 만날 날을 고대하고 있다. 같이 만나 커피 마시고 쇼핑하고 여행도 다니자 기대한다. 한비는 한 발 더 나아가 나중에 같이 살자고 까지 한다.

한번은 어떤 이모에게 "이모, 저는 착한 엄마가 한 명 더 있어요." 라며 낄낄거리고 만족해하기도 했단다. 호랑이 엄마인 나에게 야단맞은 날 자랑하고 다닌 거 같다. 감사한 일이다. 한비는 출생으로 부모 4명, 결혼으로 부모 6명, 부모부자이다. 한비는 우리들의 딸이다. 어버이날을 다툴 필요는 없다.

너무나 감사하게도 한비사랑에 빠진 해석삼촌이 사진작가라는 건 하늘이 도운 운명적인 일이다. 해석삼촌은 한비를 찍을 때 행복하단다. 나는 한비의 자료를 남기지 못할까 걱정했다. 이렇게 하늘의 도움으로 한비의 9년 세월이 남겨져 있다.

"20살이 된 한비"와 함께, 20년 세월을 볼 수 있도록 "한비의 20년이 담긴 사진집" 과 "Let them be"를 선물하고 싶다. 한비의 사진집과 전시회를 9살, 19살에 2번 계획 중이다. 이번이 9살 첫 번째 사진집과 전시회다. 한비는 이번 사진집과 전시회가 낳아주신 엄마에게 드릴 선물이라고 기대에 차서 좋아한다. 최고의 모델이 되어주고 있다.
가능하다면 19살 전시회 때는 한비엄마와 함께 한비를 마주보고 싶다.

한비는 우리에게 최고의 딸이다
한비가 없는 삶을 상상할 수 없다.
한비와 살아가는 하루하루가 너무나 소중하고 감사하다.

한비 처음 만난 날

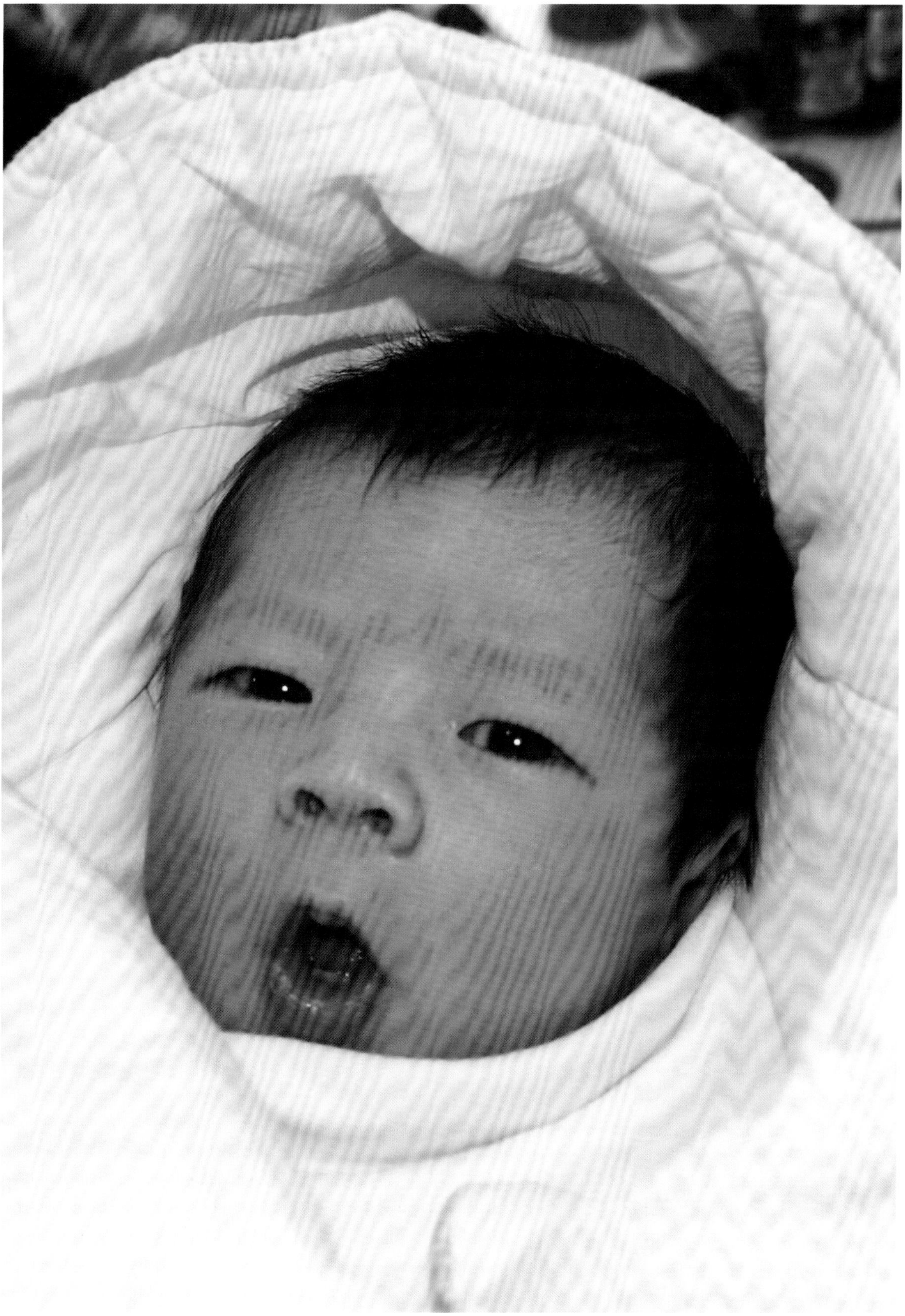

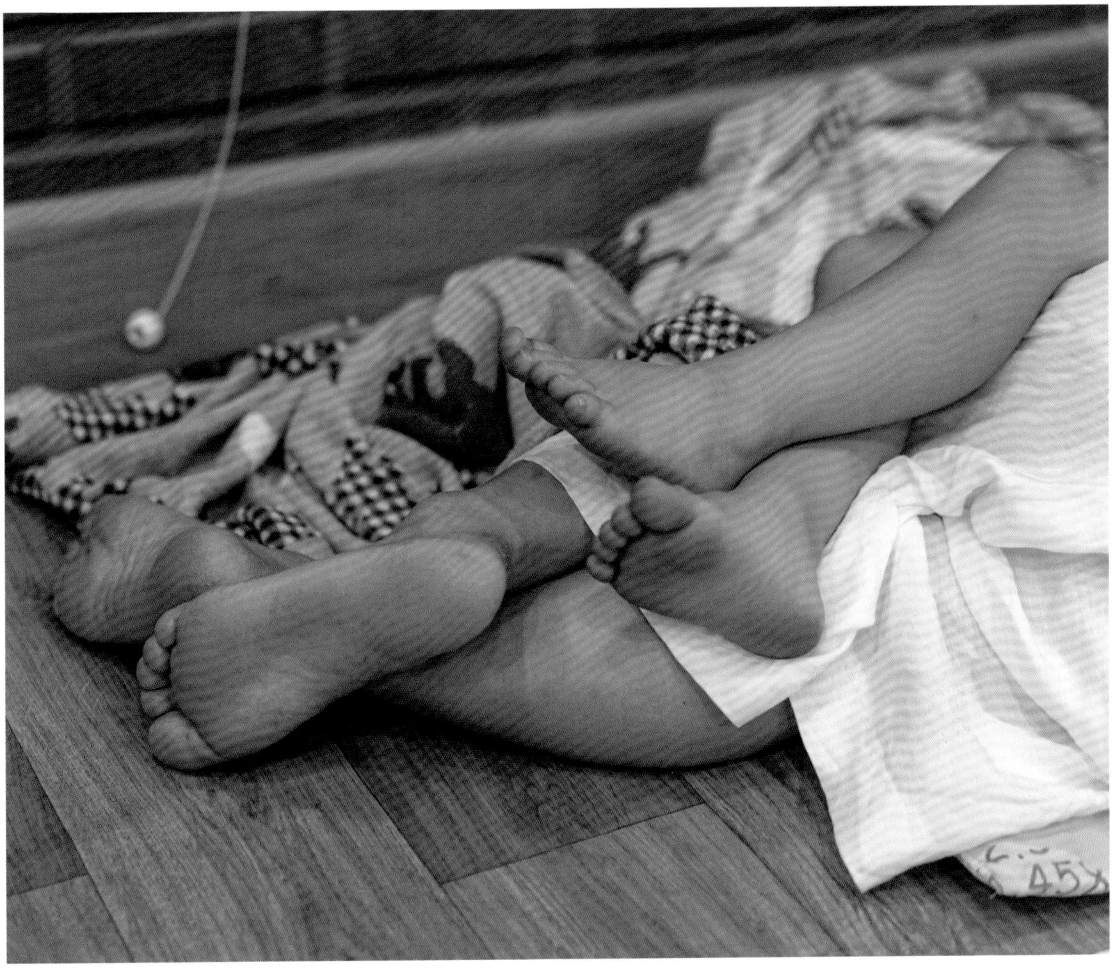

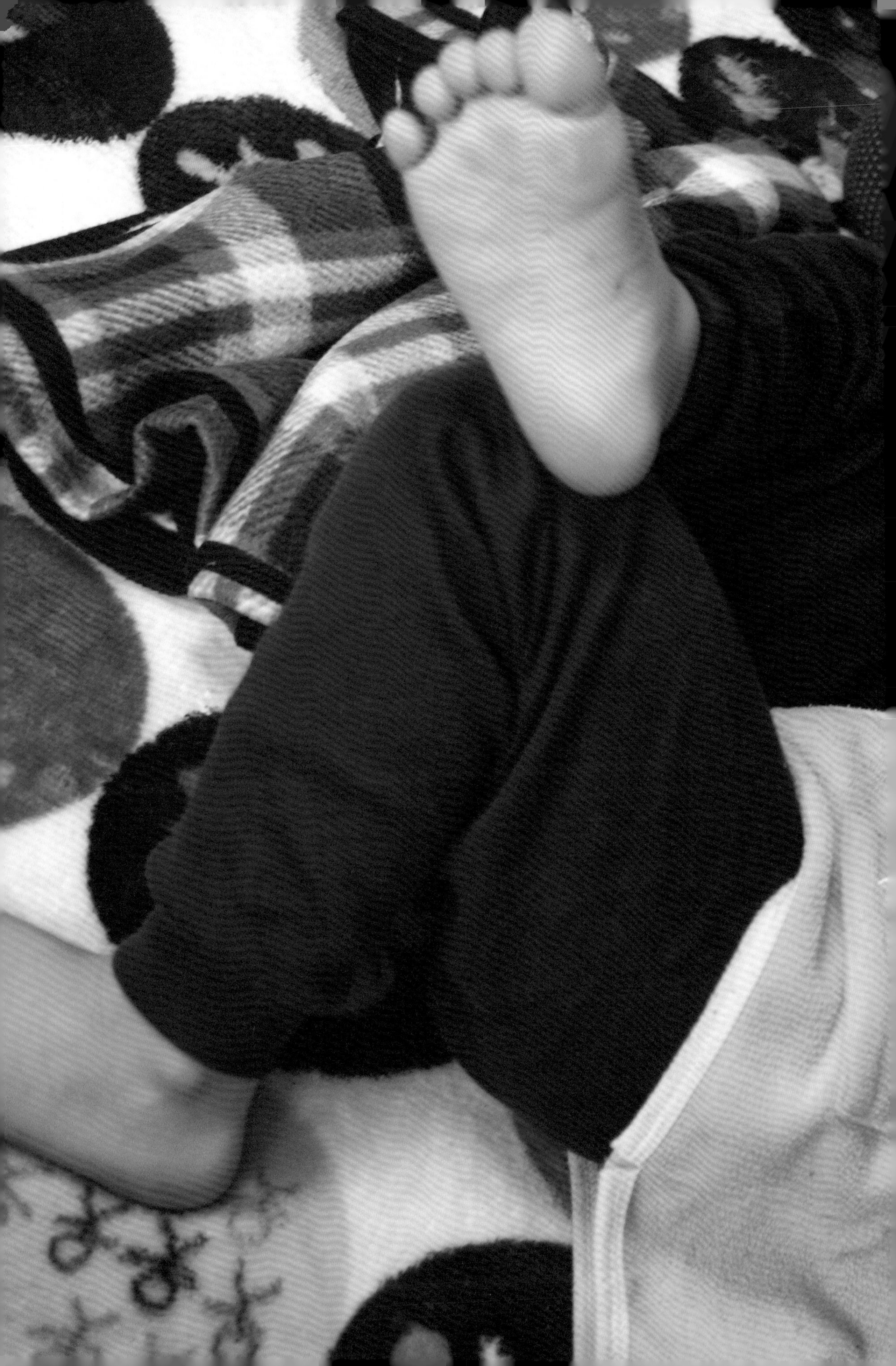

ELEVEn
난, L.P
CCTV 설치 안내문
CESCO
Members
고
정
문
혜리의 청춘도시락
SEVEN CAFE

L.pay로 산다
2+1
헛개수
CJ)컨디션헛개수500ml
COFFEE & TEA

LIBÉRTY

PEACE
&LOVE

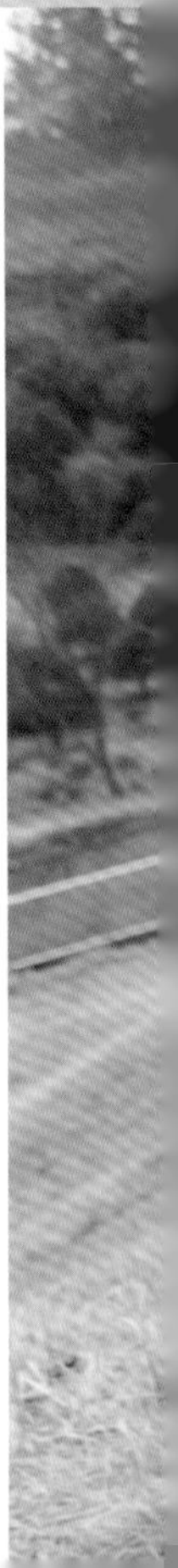

몰다인

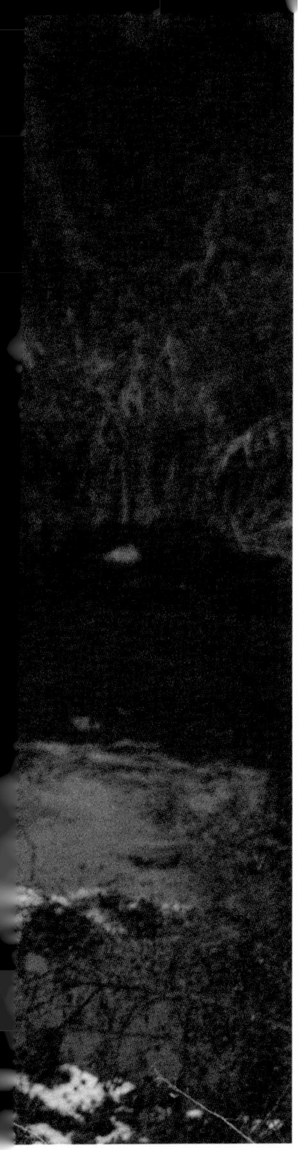

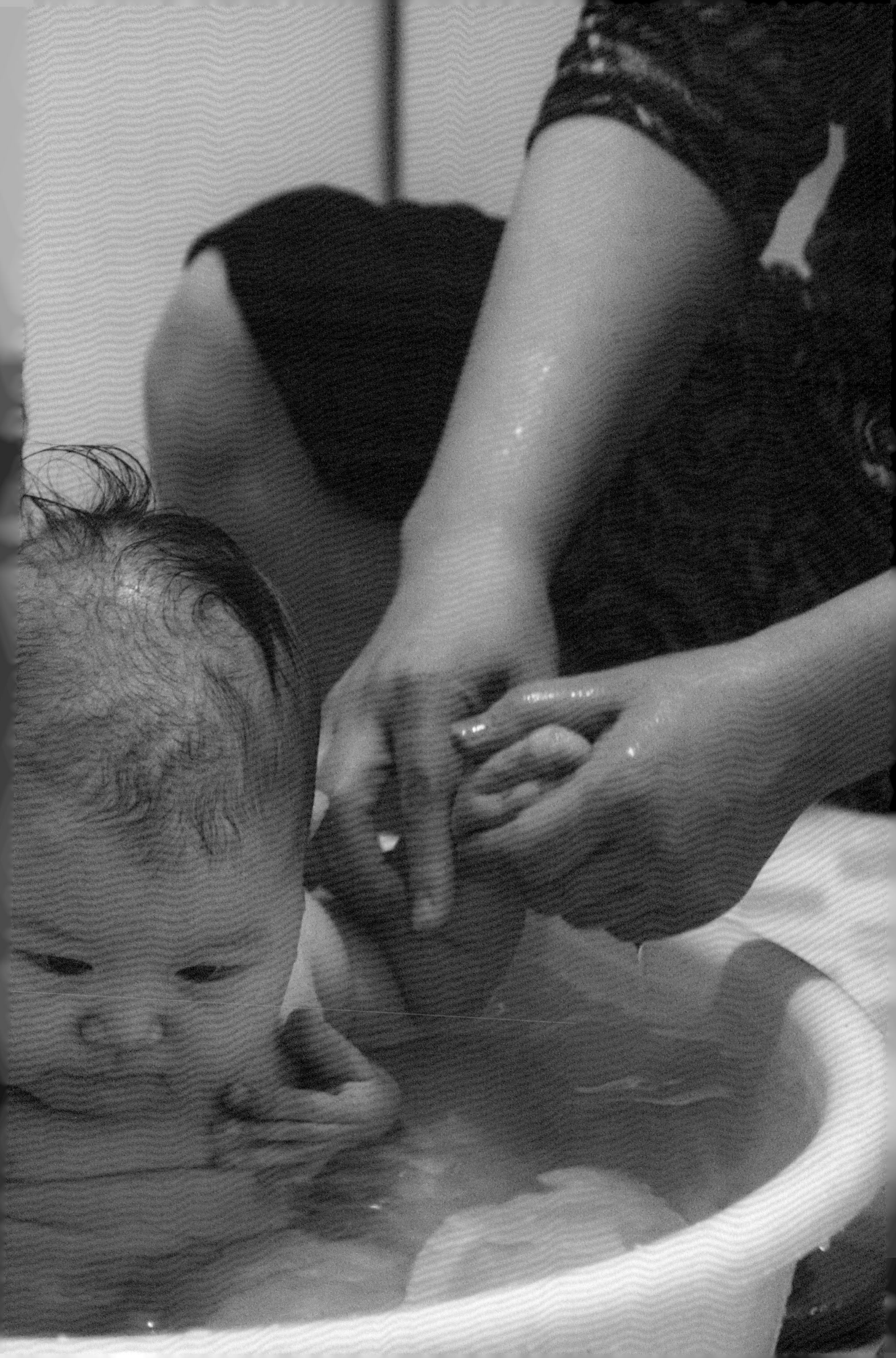

4101